BATMAN

L'OMBRE DE LA CHAUVE-SOURIS

P'TIT TOME

Albin Michel

1
UN VISAGE
DANS LA NUIT

Il est plus de minuit à Gotham City. La plupart des rues sont vides. Quelques feuilles de vieux journaux virevoltent dans les rues et des ombres se cachent sous les ponts. Seul un fourgon blindé se dirige vers une banque. Soudain...

Le camion explose, se renverse sur le côté et glisse sur la route. À l'intérieur, le conducteur et l'agent de sécurité sont retournés comme de vulgaires chaussettes

dans un sèche-linge. Tout à coup, des flammes jaillissent du moteur.

– Au secours ! s'écrie l'agent de sécurité.

Il martèle la porte arrière, restée bloquée à cause du choc et son téléphone portable est introuvable.

– Nous devons vite sortir d'ici ! hurle le conducteur blessé. Le moteur va exploser.

Soudain, deux hommes surgissent de l'obscurité. Munis d'une barre métallique, ils forcent la porte du fourgon dont la carrosserie est complètement pliée.

– Merci ! dit l'un des transporteurs de fonds.

– Ne nous remerciez pas encore, répond

l'un des deux inconnus en sortant son arme. Donnez-nous vos revolvers et passez-nous l'argent !

Un moment plus tard, les deux malfaiteurs s'enfuient dans une rue, leurs sacs à dos remplis de billets. Les deux transporteurs de fonds parviennent à s'extraire du camion en feu.

Le fourgon blindé explose une nouvelle fois. Les deux transporteurs sont projetés dans les airs puis plaqués au sol par le souffle de la déflagration. Le conducteur lève alors les yeux juste au moment où une forme étrange apparaît dans la fumée et les flammes.

– Qu'est-ce que c'est ? demande-t-il en pointant la forme dans le ciel.

On dirait une chauve-souris ! Elle se pose dans la rue silencieusement.

– Batman ! s'écrie l'autre garde.

Le plus grand héros de Gotham City jette un œil rapide aux deux hommes étendus dans la rue.

– Avez-vous besoin d'aide ? demande-t-il.

– Nous, ça va, répond le conducteur, mais les deux voleurs ont pris la fuite !

– Ils sont partis par là ! précise l'agent de sécurité en désignant une rue au loin.

Sans un mot, le Chevalier Noir se précipite dans la direction indiquée. Tout en courant, il presse un bouton placé sur son masque et active ses lentilles de vision nocturne.

Elles lui permettent de voir à travers l'obscurité et de repérer des points de chaleur comme des empreintes de pas humains. Des traces de rats couvrent le sol mais parmi elles, Batman remarque celles laissées par des chaussures. Cette piste l'entraîne à droite, dans une autre rue.

Soudain, il entend des voix. L'une d'elles lui semble familière. C'est une voix qu'il n'a pas entendue depuis des années mais il n'arrive pas à mettre un visage dessus.

– Tu avais dit que nous nous partagerions l'argent, proteste quelqu'un. Mais c'est moi qui ai placé la bombe dans la rue. Pour avoir pris ce risque, je mérite plus !

– Peut-être, mais c'était mon idée, répond la voix familière. C'est moi qui ai mis au point tout ce plan. Sans mon cerveau génial, tu serais toujours en train de braquer des petites épiceries de quartier.

Batman aperçoit maintenant les deux hommes qui se tiennent au coin de la rue. Ce sont des voleurs ordinaires, vêtus de longs manteaux et portant des sacs à dos. L'un des deux hommes tient l'autre au collet.

– Laisse-moi partir ! crie l'escroc menacé.

Batman choisit alors ce moment pour se montrer.

– Vous êtes décidément trop gourmands pour vous entendre ! leur dit-il.

Les deux hommes se tournent vers lui. Batman éteint ses lentilles à vision nocturne et retient son souffle. D'habitude, il en faut beaucoup plus pour le surprendre mais au moment où il fixe les deux hommes, il reconnaît aussitôt l'un d'entre eux. Son visage est plus vieux et ses traits plus durs

mais c'est un visage qu'il n'a jamais oublié. L'homme s'appelle Joe Chill. Vingt ans plus tôt, il a assassiné les parents de Batman !

2
L'HOMME
DE LA RUE

Alors que Batman regarde fixement Joe Chill, il se souvient d'une autre nuit, une nuit sombre et froide comme celle-ci. C'était il y a vingt ans, alors qu'il n'était encore qu'un enfant... bien avant qu'il ne devienne Batman. À cette époque, il portait le nom que ses parents lui avaient donné : Bruce Wayne.

– Bruce ! Viens ! crie son père, Thomas Wayne. On va chercher des glaces ?

– Bonne idée ! répond Martha, la maman de Bruce. Une bonne glace sera la bienvenue. Il faisait une chaleur étouffante dans cette salle.

– Il ne faisait pas si chaud, rétorque Bruce, alors âgé de dix ans.

La famille sort d'une séance de cinéma. L'air frais de la nuit est agréable.

– Tu n'as pas senti la chaleur car tu étais bien trop concentré à admirer ton héros, le taquine sa maman.

– Zorro ! ajoute Bruce.

Le jeune garçon fait un bond en avant et mime un « Z » dans l'air avec une épée imaginaire. Puis il se tourne vers

son père et lui demande :

– Est-ce qu'on peut revenir voir *Le Signe de Zorro* demain ?

Martha Wayne sourit tendrement :

– Tu n'as pas eu assez de Zorro pour la semaine ?

– C'est le plus grand héros du monde ! répond Bruce. Il se bat toujours pour la justice, jamais pour une récompense ou pour la gloire. Personne ne connaît sa véritable identité ! Je pourrais voir ce film des centaines de fois !

– Il est admirable, tu as raison ! admet Thomas.

– Je voudrais être comme Zorro, continue

Bruce. Je porterais un masque et une longue cape noire et je...

– Est-ce que tu crois que Zorro aime les glaces ? le coupe sa maman.

– Bien sûr ! Surtout celles au chocolat !

C'est au tour de son père de se mettre à rire.

– Les glaces existaient au temps de Zorro ?

– Évidemment, Papa. Les Perses ont inventé la glace il y a des milliers d'années.

Les Wayne sont si occupés à plaisanter qu'ils ne font pas attention aux alentours. Thomas les conduit dans une

rue, derrière le cinéma. Il se souvient d'avoir repéré un marchand de glaces ouvert toute la nuit dans cette direction. L'enseigne sur la vitrine annonçait une bonne quinzaine de parfums différents. L'adresse se trouve tout près d'une bouche de métro et ne doit donc plus être très loin.

La rue est sombre et froide. Des pages de vieux journaux virevoltent. Des ombres animent tous les recoins et des voix étranges murmurent dans l'obscurité.

– Tu es sûr que c'est le bon chemin ? demande Martha à son mari.

Bruce perçoit soudain un bruit étrange.

– Qu'est-ce que c'est ? Une chauve-souris ?

demande-t-il terrorisé car il a une peur bleue de ces animaux.

– Non, petit, c'est moi, répond une voix surgissant derrière eux.

L'inconnu porte un costume usé et un casquette cabossée. Il tient un pistolet dans la main droite.

– Thomas ! s'écrie Martha en retenant son souffle.

– Restons calme ! ordonne son mari.

Bruce se réfugie dans les bras de sa mère en tremblant.

– S'il vous plaît, ne tirez pas ! supplie Martha.

– Je n'en ai pas l'intention, Madame, répond le malfaiteur. Sauf si votre mari refuse de me donner son portefeuille…

Martha est terrorisée.

– Ma femme a une peur terrible des armes, explique lentement Thomas.

– Je la comprends, les armes peuvent être dangereuses.

– Alors pourquoi n'éloignerais-tu pas ton revolver et je te donne ce que tu veux, propose Thomas.

– Ne fais pas ton malin, rétorque l'agresseur. Je l'éloignerai quand tu m'auras donné ton argent.

Le malfrat lève son arme devant le visage

de Thomas qui garde son calme. Bruce aperçoit alors son père qui s'avance lentement vers le voleur.

– Pitié ! crie Martha.

Thomas cherche lentement dans la poche intérieure de sa veste.

– D'accord, répète-il. Restons calmes.

– Que fais-tu ? demande nerveusement l'escroc.

– Je suis juste en train de chercher mon portefeuille, explique Thomas.

– D'habitude, les hommes mettent leur portefeuille dans leur poche arrière.

– Mais Papa, lui, il met son portefeuille dans sa veste !

– Ah vraiment ? demande le voleur qui se penche et fixe Bruce d'un air menaçant.

Le petit garçon devient tout pâle.

– Oh, Thomas, crie Martha. Au secours !

Bruce sent un filet d'air passer derrière lui. Il se retourne. Son père est étendu par terre.

– Au secours ! À l'aide ! entend-il sa mère crier.

BANG!

Le voleur s'empare du sac de la mère de Bruce avant de s'enfuir... Ses pas martelant le sol résonnent encore dans la rue. L'obscurité s'enroule autour de Bruce et l'engloutit tout entier.

Mais maintenant, vingt ans plus tard, le même voleur se tient là. Joe Chill. Sans prendre la fuite.

Maman, Papa, pense Batman. *Je vais enfin pouvoir vous rendre justice.*

Joe Chill attrape soudain son sac à dos et en retire un fumigène.

L'allée est bientôt inondée d'un nuage
noir et épais.

3
LA NAISSANCE
D'UN JUSTICIER

Les oreilles fines de Batman perçoivent le clic silencieux d'une arme. D'un bond, il s'écarte.

POP! Quelque part, caché dans l'ombre épaisse, l'un des deux brigands vient d'essayer de lui tirer dessus. Par chance, ses réflexes l'ont sauvé.

Il saisit un masque à gaz de sa ceinture. Maintenant, il peut enfin respirer. Le masque le protège des substances chimiques libérées par la bombe.

– Uhhh !

Batman entend un gémissement. Il se précipite vers la victime. Joe Chill a disparu et son complice est étendu par terre. Il tient son épaule et son visage est tordu par une grimace de douleur.

– Je n'y crois pas, se plaint-il. Il a tiré sur son propre complice.

– Joe Chill est sans pitié, murmure Batman.

– Vous le connaissez ? demande le bandit, surpris.

– Bien mieux que vous, répond Batman en retirant son masque, la fumée toxique s'étant dissipée.

Le voleur blessé regarde autour de lui.

– Hé ! Il a pris mon sac ! s'écrie-t-il. Et tout le butin !

– Il n'ira pas loin, rétorque Batman.

Des sirènes retentissent soudain dans les rues. Des officiers de police et des voitures encerclent bientôt le fourgon blindé toujours en feu. Batman appuie sur un bouton de sa ceinture et prononce quelques mots dans un micro relié à la police. Le micro crépite avant qu'une voix lui réponde.

– Je tiens l'un des criminels, explique-t-il. C'est à une rue. Il a besoin d'un médecin.

– On arrive, Batman, répond un policier.

– J'ai vraiment mal, ajoute le voleur blessé en tenant toujours son épaule. Dites-leur de faire vite !

Le vengeur masqué lui jette un regard. La manche de son manteau et sa main sont couvertes de sang.

– Je déteste les armes ! dit Batman

Ni une ni deux, il part à la poursuite de l'autre criminel.

– Batman ! lui crie son complice. Chill était censé avoir caché une moto à un pâté de maisons d'ici pour s'enfuir. Mais maintenant, je ne sais plus si on peut croire tout ce qu'il disait.

Batman acquiesce et active ses lentilles à vision nocturne. Des empreintes de pas rouges et brillantes apparaissent devant lui, l'entraînant plus bas dans la rue.

Maintenant qu'il sait que Joe Chill est armé, il reste prudent. Les antennes spéciales que cachent les oreilles de son masque l'aident à percevoir le moindre son. Il ne prête attention ni aux moteurs de taxis, ni aux chiens qui aboient. Non, seul le martèlement de pas en fuite l'intéresse ainsi que le bruit d'une clé destinée à mettre le contact d'une moto.

Après avoir couru quelques minutes, Batman a soudain un étrange pressenti-

ment. Il lance un coup d'œil rapide sur sa gauche et aperçoit le toit d'un bâtiment familier : le vieux cinéma ! Les lumières sont éteintes et le cinéma est fermé depuis de nombreuses années, mais Batman n'a jamais pu oublier cet endroit. C'est ici que sa vie a basculé. Quelque temps après le meurtre de ses parents, les lieux ont été rebaptisés la rue du Crime. Quel nom bien trouvé !

À la mort de ses parents, Bruce décide de consacrer sa vie à la Justice. Son vœu le plus cher est que plus personne n'éprouve la peine qu'il a pu ressentir quand

il n'était encore qu'un enfant en perdant les êtres que l'on chérit le plus au monde. Son père était médecin. Il passait sa vie à soigner les gens et à sauver des vies. C'est désormais le même état d'esprit qui anime son fils.

Bruce a commencé par sculpter son corps pendant de longues années. Il savait que combattre le crime exigerait d'être en parfaite forme physique. Gymnastique, natation, boxe... Des ninjas lui ont appris les arts martiaux et des chasseurs africains lui ont même enseigné comment traquer un criminel. Toutes ces compétences lui étaient nécessaires pour retrouver sa proie principale.

CRASH!! Une poubelle roule soudain devant Batman et le ramène à la réalité.

Qui a bousculé cette poubelle ? Un chien errant ou Joe Chill ? se demande-t-il.

Mais un autre bruit métallique fend l'air de la nuit.

Batman se retourne : un escalier de secours est en train de tomber dans la rue !

4

BATARANG !

Batman perçoit un autre bruit : un homme respire derrière lui.

De justesse, il esquive une balle qui ricoche contre le mur près de lui.

Joe Chill se cache dans l'ombre. Il a provoqué la chute de l'escalier de secours pour détourner l'attention de Batman mais son plan a échoué !

VROOOOOM!

Le moteur d'une moto se met à rugir. Batman aperçoit Joe Chill s'enfuir sur une moto de sport.

Le truand regarde derrière lui et continue de tirer. Il sait qu'il ne parviendra pas à atteindre sa cible. Cependant, il compte bien ralentir Batman et le semer. Mais le vengeur masqué échappe à ses tirs.

Batman déteste les armes à feu. À la mort de ses parents, il s'est juré de ne jamais y avoir recours. À la place, il utilise d'autres gadgets. Mais il lui reste peu de temps

avant que Joe Chill ne disparaisse. Il cherche dans sa ceinture et en retire un Batarang. D'un geste répété des centaines de fois, il le lance sur la moto. Le Batarang fuse dans les airs et d'un coup, il déchire le pneu arrière.

– Non ! s'écrie Joe Chill.

SKREEE-EEE-EEECH!

Le pneu de la moto est en lambeaux et le véhicule devient incontrôlable. Il dérape le long de la route et éjecte Joe Chill qui retombe un peu plus loin.

Son visage est tuméfié et ses mains sont égratignées mais le bandit n'a pas l'intention d'abandonner. Il a travaillé trop dur et attendu trop longtemps pour

gagner tout cet argent en une nuit. Il se remet aussitôt debout, saisit son sac et s'enfuit dans la rue.

Derrière lui, Batman s'arrête quelques secondes devant l'épave de la moto. Un objet brillant attire son regard : l'arme de Joe Chill !

Parfait, pense Batman, *c'est la preuve que la police utilisera pour coffrer Chill !*

La plupart du temps, les malfrats ne vont pas en prison pour absence de preuves. Quand Bruce s'entraînait pour devenir Batman, il a également étudié le droit. Il a ainsi appris que posséder une preuve est le facteur clé pour prouver la culpabilité d'un escroc.

Batman observe l'arme à feu à travers ses lentilles de vision nocturne. Il aperçoit quatre belles empreintes digitales. La police sera en mesure de les confondre avec celles de Joe Chill, prises lors de sa dernière arrestation.

Les enquêteurs trouveront également les balles tirées à trois reprises par Joe Chill durant la nuit. Celle contre son complice et les deux qui ont manqué Batman. Il leur sera facile d'inculper Chill pour tentative d'homicide volontaire.

Batman indiquera à la police où

se trouve le revolver plus tard. En attendant, il doit retrouver Chill. Il relève la tête et entend le bruit de pas précipités qui s'éloignent. À pied, Joe Chill n'ira pas très loin et Batman connaît Gotham City comme sa poche.

Il sait aussi mieux que personne qu'il est inutile de contourner la loi. Et ce soir, il a une très bonne raison de traquer sa proie... il est face à l'homme qui a lui a volé sa famille, qui lui a pris les deux êtres qui lui étaient les plus chers au monde.

Cette fois, Chill ne m'échappera pas ! pense Batman.

5
L'OMBRE DE LA
CHAUVE-SOURIS

Batman se demande comment Chill
fait pour pouvoir encore courir. Est ce
la peur qui lui donne autant de force ?
Au loin, le malfaiteur tourne dans une
autre rue. Batman s'en veut d'être resté
si longtemps devant la moto. Il aurait
dû commencer par poursuivre Chill. Il
décide alors de lancer une corde munie
d'un harpon sur le toit des immeubles.
Le fil au bout du crochet lui permet de
survoler les rues. C'est plus facile qu'à

pied. Joe n'est plus qu'à un pâté de maisons.

Soudain, Batman remarque un projecteur laissé à l'abandon. Il sort un autre Batarang de sa ceinture. Celui-ci est plus petit que les autres et ne sert à Batman que lorsqu'il veut atteindre des cibles minuscules. Ce soir, cette cible est un bouton sur le côté du projecteur. Batman vise et lance son gadget.

ZING! Le Batarang frappe le bouton. Aussitôt, la lumière éclaire toute la rue. Les ombres disparaissent dans le faisceau blanc. Puis Batman descend de sa corde en glissant et tombe directement dans le rayon lumineux.

En face, Chill réalise qu'il se trouve dans une voie sans issue.

– Quoi ? s'écrie-t-il. Ce n'est pas possible !

Un mur se dresse devant lui, éclairé par le projecteur. Et là, sur le mur se dessine l'ombre géante d'une chauve-souris.

– Non ! Laissez-moi ! hurle Chill effrayé.

L'ombre du Batarang est projetée sur le mur à travers la lumière du projecteur. La silhouette grandit. Chill ne sait plus trop de quel côté se tourner. Il recule et se cogne contre quelqu'un. Chill frissonne.

– Batman ! Je me doutais que c'était toi !

Le Chevalier Noir sort un fil de sa ceinture et attache les mains de Chill.

– Ce n'est pas une petite chauve-souris qui va te faire peur, n'est-ce pas ? demande-t-il en souriant.

Le héros se souvient d'une autre nuit, des années plus tôt. Il était seul dans sa maison. Il était un jeune homme, prêt à devenir un justicier. Il s'était entraîné dur et avait beaucoup étudié. Dans son cœur, il avait demandé à ses parents de lui envoyer un signe l'encourageant à mener à

bien la mission qu'il s'était donnée. Soudain...

THUD! Une chauve-souris était passée devant sa fenêtre. C'était ça le signe qu'il attendait ! Quand il était petit, il avait une peur bleue des chauves-souris. Ses parents le réconfortaient en lui disant qu'il n'y avait aucune raison de les craindre. Il décida de vaincre sa propre peur en la retournant contre ceux qui briseraient la loi. Il se déguiserait en chauve-souris géante... en Batman !

Batman envoie son harpon directement sur le toit d'un bâtiment voisin. **ZING!** Et s'élève dans les airs avec son prisonnier sous le bras. À des dizaines de mètres au-dessus du sol, le Chevalier Noir se balance d'immeuble en immeuble comme un acrobate. Joe Chill hurle de frayeur.

En à peine quelques minutes, l'air sent l'odeur du métal brûlé. Batman revient sur la scène du crime de Joe Chill. Le fourgon blindé bloque toujours la rue mais l'incendie a été éteint par une équipe de pompiers. Une ambulance porte secours aux deux convoyeurs. Les officiers ont fermé la zone mais la presse et les caméras commencent à affluer.

D'un mouvement de cape, Batman se pose au sol, devant une voiture de police. Il libère Joe Chill et le remet aux autorités.

– Vous trouverez la preuve de sa culpabilité à quelques rues plus bas, précise-t-il.

De nombreux reporters se précipitent vers lui. Tous espèrent récolter un scoop ! Batman sait que c'est le moment de partir. Il regarde une pendule. Seulement vingt minutes se sont écoulées depuis qu'il a quitté le convoi de fonds en feu pour trouver et capturer Joe Chill. Vingt minutes… qui ont paru durer vingt ans…

– Merci, Batman, lance un officier de

police alors que le héros commence à s'éloigner. C'est bien l'homme qui a fait exploser le camion ?

Batman acquiesce d'un signe de tête.

– Il me rappelle quelqu'un, dit un vieil officier.

– Non, répond son coéquipier. Ce n'est qu'un truand de plus parmi tant d'autres.

– Je ne l'ai jamais vu avant, renchérit un journaliste.

– Moi non plus, ajoute un autre reporter. Ce n'est pas quelqu'un d'important.

Les policiers et les journalistes ne sauront jamais à quel point, au contraire, ce criminel est important. Tout comme ils ne sauront jamais que derrière le masque du Chevalier Noir se cache le visage de Bruce Wayne. Un masque sombre inspiré par celui du héros de son enfance, Zorro !

– Hé, où est passé Batman ? demande l'un des journalistes.

L'ombre d'une chauve-souris traverse la nuit silencieusement.

Reposez en paix, Maman et Papa, murmure Batman en survolant l'obscurité. *Reposez en paix.*

L'AFFAIRE WAYNE
- ARCHIVES

PRINCIPAL SUSPECT: Joe Chill

CRIME: vol, meurtre

VICTIMES: Martha Wayne, Dr. Thomas Wayne

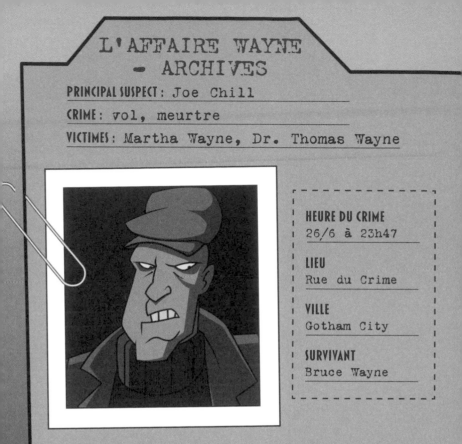

HEURE DU CRIME
26/6 à 23h47

LIEU
Rue du Crime

VILLE
Gotham City

SURVIVANT
Bruce Wayne

Résumé de l'affaire :

Le meurtre tragique de Martha Wayne et de son mari, le Dr. Wayne, a eu lieu dans la rue du Crime, le 26 juin à 23h47. Les Wayne étaient une des familles les plus riches de Gotham City. Le témoin unique, leur fils, n'avait que dix ans. Joe Chill reste le suspect principal. Le vol est le mobile le plus plausible.

D.P.G.C.

DÉPARTEMENT DE POLICE DE GOTHAM CITY

- Thomas Wayne était un chirurgien très doué. Il a donné beaucoup d'argent à des associations humanitaires et des œuvres de charité. En tant que fondateur et président de l'entreprise Wayne, il a largement participé au développement de Gotham City. Son fils, Bruce, est voué à lui succéder. Mais Bruce n'a que dix ans quand son père est assassiné. En attendant qu'il soit en âge de diriger la compagnie, elle est confiée à Lucius Fox.

- Martha Wayne était l'épouse de Thomas Wayne. Originaire d'une famille aisée, elle a parrainé de nombreuses causes afin d'aider Gotham City à redorer son blason. Elle a notamment œuvré pour les orphelins de la ville.

- Bruce Wayne, leur fils, est le seul héritier de leur fortune. Un examen psychiatrique a révélé que le jeune garçon a particulièrement mal vécu la mort de ses parents. Il a également été noté que Bruce Wayne a très peur des chauves-souris depuis un incident dans une cave quand il était tout-petit.

- C'est Alfred Pennyworth, le majordome de la famille, qui va élever le jeune orphelin, Bruce Wayne.

CONFIDENTIEL

TABLE DES MATIÈRES

Collection dirigée par Lise Boëll

Publication originale : Stone Arch Books

BATMAN created by Bob Kane
Texte : Michael Dahl
Illustrations : Dan Schoening

Adaptation française :
© Éditions Albin Michel, S.A., 2013
22 rue Huyghens, 75014 Paris
www.albin-michel.fr

Traduction : Anne Marchand-Kalicky
Conception éditoriale : Lise Boëll
Éditorial : Marie-Céline Moulhiac
Direction artistique : Ipokamp

ISBN 978-2-226-24808-4
Loi n°49-956 du 16 juillet 1949 sur les publications destinées à la jeunesse
Achevé d'imprimer en France par Pollina - L65075A
Dépôt légal : juillet 2013